JOSEF SUDEK

Josef Sudek

Introduction
par Anna Fárová

Cet ouvrage est publié par
le Centre National de la Photographie avec
le concours du ministère de la Culture
et de la Communication.

Légende de la couverture :
Fenêtre de mon atelier, 1940-1954

© 1990 by Centre National de la Photographie, Paris
Tous droits réservés pour tous pays
ISBN : 2-86754-063-1

Imprimé en France / Printed in France

JOSEF SUDEK 1896-1976

1940 : Prague est occupée par les Allemands. Cette seconde année de guerre va être pour Josef Sudek une « année-charnière ». Il est devenu dangereux de transporter par les rues les grandes chambres en bois qu'il utilise pour faire des photographies. Il choisit alors de s'enfermer dans son atelier. Acquis par Sudek à la fin des années vingt, c'est un atelier du début du siècle, abrité dans une petite maison de Malá Strana, un quartier historique qui jouxte le château dominant la ville, et entouré d'un jardin minuscule. Eclairé par la lumière naturelle qui traverse ses verrières, il comprend un laboratoire rudimentaire (dans lequel Sudek développera lui-même ses photographies jusqu'à sa mort) et deux petites pièces. Dans l'une d'elles, une fenêtre. C'est cette fenêtre qui va devenir par récurrence et pour les dix années qui vont suivre, le motif inlassable des cycles d'images conçus par Sudek. En 1940, la petite maison de Sudek est déjà *anachronique.* Son œuvre est souvent qualifiée du même terme. Hors des modes, à l'écart des tendances artistiques de son temps. D'avant-garde pourtant, à force d'être à contre-courant. En ce sens, Sudek évoque Atget dont l'œuvre est connue de Sudek par une monographie parue en Allemagne avant-guerre et dont un ami proche, Jaromír Funke, possède un exemplaire.

Sudek et Atget partagent la même attitude humble envers l'image photographique. C'est aussi le même amour exclusif pour une ville, Paris pour le Français, Prague pour le Tchèque ; la même volonté de documentation systématique des lieux, sociologique pour Atget, poétique pour Sudek. Le même désintéressement envers les artistes,

Sudek ayant longtemps été un photographe de reproduction, Atget se donnant comme au service des peintres. C'est enfin, la même et involontaire capacité à engendrer des influences et des filiations : si Atget inspire les surréalistes, Sudek, lui, marquera les « néoromantiques » des années 70.

L'image de ce photographe qui s'enferme en cette année 1940 et qui par la suite ne se consacrera plus guère qu'à des vues d'intérieur ou de Prague, c'est celle qu'on a retenue. Elle a peu à peu occulté les autres, par exemple celle de la décennie 1928-1938, celle des rencontres, des amitiés, dans une société intensément créatrice, décennie durant laquelle Sudek a été l'un des photographes officiels de la première République tchèque.

Josef Sudek est né le 17 mars 1896 à Kolín sur l'Elbe, en Bohême. Son père, peintre en bâtiment, meurt lorsqu'il a trois ans. Il a une sœur plus jeune, qui travaillera et vivra avec lui toute sa vie. En 1911 à quinze ans, Sudek est apprenti-relieur ; un de ses collègues l'initie à la photographie. Puis c'est la guerre. Combattant sur le front italien, il est blessé par une grenade autrichienne qui lui vaudra l'amputation du bras droit. Cet événement cruel change le cours de sa destinée. Contraint d'abandonner la reliure, il se tourne vers la photographie. Sa longue convalescence de trois années – durant lesquelles il vit dans un hôpital pour invalides – est en partie consacrée à photographier Prague.

Sudek travaille alors dans le style de la photographie « artistique », en référence à la peinture ; il utilise les pigments, les huiles au bromure et conçoit, entre 1918 et 1922, des paysages romantiques et picturaux. Toutefois, l'hôpital lui inspire aussi des portraits et des images dans lesquels se meuvent ses amis de guerre. Il travaille à cette série pendant plusieurs années et ne la terminera qu'en 1927. Vers 1920, Sudek devient membre du Club des « photographes-amateurs » de Prague, y acquiert sa formation : perfectionnement de la technique, histoire de la photographie tchèque, (Drtikol, Bufka, Novák), révélation des tendances contemporaines (Funke, Růžička, Lauschmann) et de la photographie américaine par l'intermédiaire du docteur D.J. Růžička qui pratique à New York et connait le photographe Clarence H. White.

En 1921, est fondée à Prague l'école d'Arts graphiques qui comporte une classe de photographie. C'est le professeur Karel Novák très marqué par le style du Camera Club de Vienne qui y enseigne. Sudek entre dans sa classe à l'âge de 26 ans et y reste deux années, tout en participant aux activités dynamiques et vivantes du Club des amateurs, ouvertes aux tendances progressistes. Sudek prend part à toutes les expositions et manifestations de ce club et devient l'ami de Jaromír Funke, du même âge que lui, photographe appartenant à l'avant-garde tchèque. C'est en sa compagnie, avec d'autres amis, qu'il fondera en 1924 la Société tchèque de photographie qui devint la plateforme des tendances novatrices.

Entre les années 1924 et 1926, Josef Sudek photographie d'une manière quasi impressionniste, mais avec une technique photographique traditionnelle sans procédés artificiels, les parcs de Kolín et de Prague. Le directeur de l'école d'Arts graphiques qui se passionne pour l'histoire du vieux Prague facilite aux élèves l'accès de hauts lieux interdits au public.

C'est l'occasion pour Sudek de photographier les travaux de reconstruction de la grande cathédrale gothique Saint-Guy au Château de Prague, travail auquel il se consacre de 1924 à 1928 et dont quinze images furent publiées dans un album d'épreuves originales tiré à 120 exemplaires numérotés et signés. Cet album paru à l'occasion du 10ᵉ anniversaire de la fondation de la République tchécoslovaque, sous l'égide de la Maison d'édition *Družstevní práce (Travail coopératif).* Un autre livre le consacre à la fin des années vingt comme l'un des photographes majeurs de Prague : les éditions Melantrich firent paraître un livre sur Prague, rédigé par l'historien Cyril Merhout et illustré par Josef Sudek.

C'est le peintre Emmanuel Frinta qui avait eu l'idée de l'album Saint-Guy. Celui-ci fait partie de l'intelligentsia et du groupe d'artistes praguois qui se rencontrent dans un café. C'est là que Sudek fait la connaissance du photographe et médecin « tchéco-américain », le Dr J. Růžička qui connaît bien les nouvelles tendances de la photographie américaine. Et c'est dans ce café que le peintre Frinta demande à Sudek de participer au magazine « *Panorama* » et plus tard « *Žijeme (Nous vivons)* » qu'éditait *Družstevní práce (dp).* Il fait des portraits d'écrivains, des photographies documentaires, des reportages ou de la publicité. Le fameux designer Ladislav Sutnar, directeur de *"dp"* dans les années trente veut renouveler le graphisme de toutes les publications de cette maison d'édition ainsi que celui des objets qui y étaient présentés. Sudek devient l'ami de Sutnar : Les images que fait Sudek des objets conçus par Sutnar sont fortement influencées par le principe de « diagonale dynamique » si présent dans les photographies de Rodtchenko et dans les films d'Eisenstein. L'inspiration géométrique qui domine toutes ces photographies publicitaires n'est pas vraiment du goût de Sudek bien qu'il s'y illustre avec talent. Et celles-ci restent un témoignage rare sur ce style particulier, – alliance de force et de clarté –.

L'année 1933, est marquée pour Sudek par trois événements importants. « *Dp* » publia un calendrier illustré par 27 photographies de Sudek (tirage à 10.000 exemplaires). On y trouve un premier état des lieux de ses travaux : représentations d'objets, images poétiques, vues de la Cathédrale Saint-Guy, tendances constructivistes. Il réalise sa première exposition personnelle dans les salles de « *dp* », et prend part également à une exposition importante consacrée à la photographie sociale organisée par le critique Lubomír Linhart, connaisseur et propagateur de photographies et de films de l'avant-garde soviétique et du mouvement appelé « le Front Gauche ». Le troisième événement est une rencontre. Les années vingt avaient apporté à Sudek les connaissances techniques, l'histoire de la photographie. Les années trente ouvraient les voies à toutes les libertés d'expression.

Les années vingt et trente furent assurément une des époques les plus ouvertes à tous les courants, toutes les influences qui parcourent l'Europe et le monde. A Prague, comme dans toutes les autres métropoles, la création artistique, intellectuelle et spirituelle atteint son apogée. Placés entre l'Est et l'Ouest, au cœur de la vieille Europe, les Tchèques sont curieux de tout ce qui s'éveille et deviennent souvent les protagonistes influents de courants artistiques (Mucha, Kokoschka, Šíma pour la peinture ; Hašek et Kafka en littérature ; Dvořák, Smetana, Janáček et Martinů dans le domaine de la musique... etc.). Sudek rencontre le peintre cubiste Emil Filla qui suit de près l'Ecole de Paris, (Picasso, Braque, Gris...). Il possède une culture immense sur l'art ancien et moderne, occidental et oriental. Filla confie à Sudek des commandes pour la revue « *Volné směry* (*Tendances libres*) » dont il est rédacteur. Sudek reproduit pour cette revue l'art moderne tchécoslovaque et étranger.

À cette époque la reproduction de peintures pose de nombreux problèmes chromatiques. Dans le sillage de Filla, Sudek devient collectionneur.

C'est dans la salle Mánes – l'Union des artistes dont Filla dirige le comité exécutif – qu'est organisée l'Exposition collective internationale de photographie avec la participation entre autres de Hans Bellmer, Ignatovitch, Alexandre Rodtchenko; la section tchèque comportait Funke, Sudek et toute leur génération. En 1938, dans ce même lieu, sont présentées près de 400 photographies de six photographes tchèques modernes (Funke, Lehovec, Pekař, Sudek, Štyrský, Vobecký). Sudek y contribua par 86 images.

La dernière grande manifestation photographique d'avant-guerre, est en 1939 l'exposition organisée par le Musée des Arts décoratifs de Prague, à l'occasion du Centième anniversaire de la naissance de la photographie. Sudek y prend part en présentant cinq de ses œuvres.

Puis, c'est le nazisme et la guerre, qui mettent un terme brutal à ce foisonnement. Sudek s'enferme et découvre les merveilles de sa fenêtre. Le premier cycle intime entrepris en 1940 montre la vitre de sa fenêtre avec ses effets de transparence et d'opacité : à travers les brumes au jardin, la vapeur à l'intérieur, l'arbre au dehors, Sudek joue sans cesse de ces deux mondes séparés mais cependant liés par cette vitre omniprésente – obstacle ou surface intermédiaire que marquent la succession des saisons, les états du temps et de la lumière. Lorsque la contemplation d'un motif est patiente et approfondie, sa transcription peut parfois ne devenir qu'un chiffre, qu'un signe quelque peu hermétique, à la limite de l'intelligible. Sudek en est conscient. Il craint d'aller trop loin, au-delà de toute compréhension. Il revient alors de ses explorations et renoue, dans un réalisme renouvelé, avec une vision plus simple et plus épurée, vers un nouvel envol pour la poésie et le secret.

À cette époque Sudek découvre le procédé du contact direct. Le contact est au plus près de sa conception de l'image photographique, car ni le grain, ni les transitions agressives des noirs et des blancs ne l'intéressent, ni les contours aigus, ni les contrastes. Il ne s'agit pas seulement d'un principe technique. L'utilisation des papiers teintés souligne au contraire cette tonalité douce aux contours diffus si caractéristique (ses négatifs sont de formats variables, allant de 4,5 x 6 cm jusqu'à 30 x 40 cm sur films ou plaques de verre). Comme s'il revenait à ce qu'il avait effectué dans sa jeunesse, – d'ailleurs tout le monde faisait à l'époque des contacts et non des agrandissements qui sont venus au monde avec l'évolution du négatif de petit format et la photographie de reportage. Sudek accorde une grande importance à la maîtrise artisanale des procédés au service de la représentation de la nature ou de la ville.

Après les années 40, les photographies de Sudek sont des clairs-obscurs : le noir s'épand à la limite de la lisibilité, les ombres se confondent doucement avec le cadre noir de l'image ; de telles photographies deviennent difficiles à reproduire. Sur les épreuves originales, on peut se délecter de leur interprétation, des gradations, des valeurs et des nuances, des tonalités de gris, de vert, de brun dont il aimait user. Chaque photographie, chaque contact a les mêmes qualités qu'un dessin ou une gravure, si l'on considère le maniement du papier entier, la position de la photographie sur le papier, les marges autour de la photographie, la manière dont le papier est coupé ou déchiré, le rapport de l'image à la surface du papier, le choix du bord du papier en blanc ou en noir. Pourtant, la perfection de l'image n'est jamais recherchée au détriment de la représentation. La virtuosité ne fait qu'accroître l'émotion.

A cette fenêtre se déroule une autre aventure très discrète : y sont souvent posés un bouquet, une pierre, un objet usuel qui lui donnent invariablement le désir de les étudier de plus près.

Le thème de la nature morte a dans l'œuvre de Sudek une longue histoire : déjà dans la classe du professeur Karel Novák, il était obligatoire de composer des natures mortes dans le style de l'Art nouveau, style que les élèves considéraient comme dépassé depuis longtemps. Mais ce fut surtout l'étude de la peinture qui devait influencer Josef Sudek. Même les titres de ses photographies s'y réfèrent : « Nature morte d'après le peintre Navrátil », « d'après Le Caravage », « peinture chinoise »,... etc. Evocations, expériences et réminiscences tirées de leçons picturales dont Sudek s'est imprégné en reproduisant nombre de tableaux, sculptures et dessins. Souvent ces natures mortes rendent hommage à une certaine peinture ou évoquent une leçon de style longuement méditée. La leçon du cubisme apparaîtra dans les années 50, dans ses simples «natures mortes aux verres». Dans la plupart, la forme du verre est d'inspiration cubiste : huit surfaces plates, rectangulaires qui reflètent et divisent de manière analytique tout ce qui se trouve dans ou derrière le verre. La nature morte au verre revêt, dans les différentes étapes de l'œuvre de Sudek, l'assimilation de la leçon cubiste, ou bien l'écho de la peinture hollandaise au 17ᵉ siècle, ou bien encore la rémanence des natures mortes de Chardin, fortement sous-jacente dans les années 60 à 70. Dans le cycle intitulé *Labyrinthes,* le jeu des reflets et des transparences des verres se mêle à d'autres objets informels, sans aucune géométrie visible. Dans les labyrinthes, les objets précieux, raffinés et coûteux côtoient des choses simples, sans sélection, sans différence, tels que la vie quotidienne les a disposés les uns aux côtés des autres, dans l'atelier. Tout se rencontre sur l'armoire ou la table comme dans un microcosme indépendant et vivant, et tout se côtoie sans heurt, car dans ces *Labyrinthes* règne la loi de l'affection. Ces objets ont été donnés par des amis et c'est pourquoi ces photographies faites comme «d'après nature» se nomment *Souvenirs,* à la mémoire de leurs donateurs disparus.

Après la guerre, se déroule une rencontre décisive : l'architecte Otto Rothmayer chargé de la reconstruction du Château de Prague. Rothmayer dispose à Prague d'un très beau jardin et c'est là que les deux amis conversent. Sudek consacre à ce jardin où figurent les chaises dessinées par Rothmayer un cycle de photographies. Cette collaboration évoque celle qui réunit Sutnar et Sudek. Cette fois-ci pourtant l'œuvre n'est plus un objet de commande, mais une création à part entière. L'esprit de Rothmayer doué de poésie rejoint davantage la sensibilité de Sudek. L'amitié inspiratrice des deux hommes dura jusqu'à la mort de Rothmayer en 1966. Les dernières photographies de ce jardin sont réalisées à l'aide du grand appareil panoramique Kodak de 1894. Avec cet appareil Sudek effectue un nombre impressionnant de paysages tchèques et moraves et surtout une série de la ville de Prague, parue en 1959. Les panoramas sont une des dernières curiosités et inventions techniques que Sudek expérimente à la fin de sa vie. Les photographies nommées *Promenade dans les parcs et jardins de Prague* sont faites par la plupart d'après négatifs de format 18 x 24 cm. Les jardins de ses amis, les parcs et les espaces verts de Prague contrebalancent le thème de ses Natures mortes.

Sudek – ne l'oublions pas – appartient à la même génération que les paysagistes américains Edward Weston et Ansel Adams, le dadaïste et surréaliste Man Ray, le hongrois Brassaï, l'expérimentateur du Bauhaus László Moholy-Nagy, les documentalistes américains Dorothea Lange, Alfred Eisenstaedt, l'anglais Bill Brandt, l'adepte de l'abstraction Paul Strand, et autres. Autant de noms que de pratiques photographiques diverses, qui montrent la distance que l'image photographique moderne a parcourue en un siècle. Tous ces auteurs ont toujours été désignés, reconnus et publiés dans les histoires de la photographie. Il faudra beaucoup de temps à Sudek pour être reconnu une seconde fois : ce n'est que depuis les années 70 que le personnage de Josef Sudek provoque un intérêt comparable. Il est devenu, pour la plupart des amateurs, « le photographe à sa fenêtre ». Ce n'est pas le fait du hasard. Les séries intimes sont les images qu'il a créées lorsqu'il a cessé de travailler sur commande pour trouver sa voie personnelle d'expression. Ce sont aussi les premières images de sa maturité. Par leur inspiration profondément contemplative, l'affection émue qu'elle révèle pour ce qui nous entoure, elles sont sans doute l'une des grandes métaphores de l'essence de la photographie et de la présence au monde.

Anna Fárová

1. Orage, 1916

2. L'île de Kolín, 1924-1926

3. Tramway à Prague, 1924

4. Viaduc à Žužkov, 1926

5. Quais de la Vltava, Prague, 1922

6. Le soir dans les jardins du Séminaire, 1950-1959

7. La troisième cour du château, Prague, 1947

8. Dans la cathédrale Saint-Guy, Prague, 1924-1928

Pages suivantes : Château au sud de la Bohême, 1962

10. Promenade dans les jardins de Prague, 1970

11. Vue du quartier "Nouveau Monde", Prague, 1950-1959

12. Paysage près de l'Elbe, 1918-1922

13. Souvenirs, 1950

14. Jardin de mon atelier, 1960-1970

15. Paysage en Bohême, 1958

Pages suivantes : Sous-bois, 1967

17. Statues disparues, 1962-1970

Pages suivantes : Promenade dans les jardins de Prague, 1960-1970

19. Paysage près de l'Elbe, 1918-1922

20. Promenade dans les jardins de Prague, 1960-1970

Pages suivantes : Groupe des élèves de l'école d'Arts graphiques, 1922
(Sudek est le premier à gauche à côté de son professeur Karel Novák)

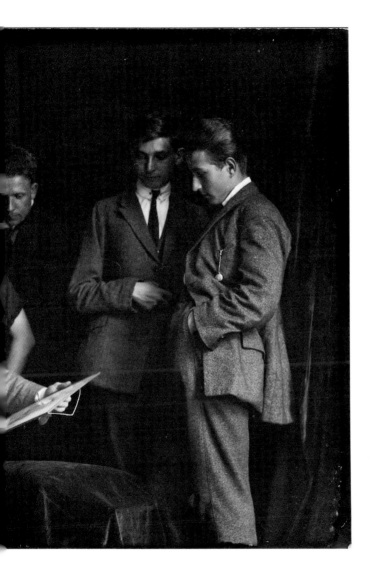

22. Portrait, 1928

Pages suivantes : La troisième cour du château prise
depuis la cathédrale Saint-Guy, Prague, 1947

24. Photographie publicitaire, 1936

25. Photographie publicitaire pour Orbis, 1931-1936

26. Photographie publicitaire, 1932

27. Détail, 1930

28. L'architecte Otto Rothmayer, 1960

29. Note au sujet des Amants, 1958

30. Souvenirs. Promenade dans le jardin magique, 1954-1959

31. Dans le jardin magique, 1954

32. Promenade dans le jardin magique, 1954-1959

33. Soir dans le jardin magique, 1954-1959

34. Paysage à Kutná Hora, 1921

35. Fenêtre de mon atelier, 1940-1954

36. Fenêtre de mon atelier, 1940-1954

37. Fenêtre de mon atelier, 1940-1954

Pages suivantes : Fenêtre de mon atelier, 1940-1954

39. Fenêtre de mon atelier, 1940-1954

40. Fenêtre de mon atelier, 1940-1954

41. Fenêtre de mon atelier, 1940-1954

42. Fenêtre de mon atelier, 1940-1954

43. Fenêtre de mon atelier, 1940-1954

44. Le peintre Václav Sioko, 1955

45. Labyrinthes de verre, 1968-1972

46. Nature morte, 1954

47. Labyrinthes, 1968

Pages suivantes : Dans mon studio, 1951-1954

49. Nature morte, 1954

50. Composition, 1950

51. Composition, 1950-1954

52. Composition, 1950-1954

53. Souvenirs de Pâques, 1968-1972

54. Nature morte au coquillage, 1950-1954

55. Nature morte, 1950-1954

56. Nature morte, 1950-1954

57. Nature morte, 1950-1954

58. Labyrinthes, 1968-1972

59. Statue couverte de rosée, 1972

60 et 61. Femme voilée, 1942

62. Le matin sur les quais, 1922
Pages suivantes : Foire à Prague, 1958

65. Foire à Prague, 1958

BIOGRAPHIE

1896. Joseph Sudek naît le 17 mars à Kolín. Son père peintre en bâtiment meurt 3 ans après.

1911-1913. Séjourne à Prague où il apprend le métier de relieur et s'initie à la photographie.

1913-1915. Ouvrier relieur à Nymburk.

1915. Service militaire à Kadaň.

1916. Part pour le front italien où il emporte son appareil photographique.

1917. Blessé par une grenade autrichienne, il est amputé du bras droit.

1918. Ne pouvant plus être relieur, Sudek devient photographe.

1920-1921. Membre du Club des photographes amateurs de Prague, il découvre la photographie américaine (Clarence H. White).

1922-1923. Etudie à l'école des Arts graphiques dans la classe de photographie de Karel Novák.

1922-1927. Photographie les mutilés de guerre.

1924. Cofondateur de la Société tchèque de photographie.

1924-1928. Photographie la restauration de la cathédrale Saint-Guy de Prague.

1926. Effectue un voyage de deux mois en Italie.

1927. S'installe dans son studio de Malá Strana à Prague.

1927-1936. Travaille pour la maison d'édition Družstevní práce (dp) fait des portraits, des reportages, des paysages, de la publicité...

1932. Première exposition personnelle à Prague dans les salles de «dp».

1933. Participe à l'exposition consacrée à la photographie sociale et organisée par le Front gauche.

1936. Exposition internationale, salle Mánes à Prague.

1938. Exposition de 6 photographes tchèques, salle Mánes à Prague.

1939. Exposition *100 ans de photographie,* Musée des Arts décoratifs à Prague.

1940. Découvre le tirage par contact et utilise des appareils grand format (jusqu'au 30 x 40 cm). Fait des natures mortes dans son jardin et ceux de ses amis et continue à photographier Prague et son château.

1950. Utilise la camera panoramique Kodak de 1894 avec laquelle il réalise des images format 10 x 30 cm.

1954. Le Prix de la Ville de Prague lui est décerné.

1959. Déménage dans un nouvel atelier près du château, son laboratoire reste dans son ancien atelier.

1961. Reçoit du gouvernement tchèque le titre d'artiste émérite.

1966. L'Ordre du Travail lui est décerné par le gouvernement tchèque.

1976. Josef Sudek meurt à Prague le 15 septembre.

BIBLIOGRAPHIE

Ouvrages de Josef Sudek

1928. Svatý Vít / Saint-Guy, introduction de J. Durych, Prague, Družstevní práce.

1929. Praha / Prague, Prague, Melantrich.

1947. Pražský hrad / Le Château de Prague, texte de Rudolp Roucek, Prague, Sfinx.

1947. Magic in Stone, texte de Martin S. Briggs, Londres, Lincolns-Praeger Ltd. Publishers.

1947. Praha Barokní / Prague Baroque, texte de Arne Novak, Prague, F. Borový.

1948. Praha, Prague, texte de Vitezslav Nezval, Prague, Svoboda.

1948. Náš Hrad / Notre Château, texte de J.R. Vilímek, Prague, J.R. Vilímek ; seconde édition, texte de A. Wenig.

1958. Lapidarium Národního Muzea / Lapidaire du Musée national, Prague, SNKLHU.

1959. Praha panoramatická / Prague panoramique, poème de Jaroslav Seifert, Prague, SNKLHU.

1961. Karlův most ve fotografii / Le pont Charles en photographie, 2 poèmes de Jaroslav Seifert en introduction, Prague, SNKLHU.

1969. Mostecko-Humboldtka / Region de Most-Mine Humboldt, textes de E. Juliš et D. Kozel, Most, Dialog.

1970. Hudební Vychova / Education musicale, Prague, SPN.

1971. Janáček-Hukvaldy, introduction et sélection d'écrits de Janáček établies par Josef Šeda, Prague, Supraphon.

Monographies sur Josef Sudek

1956. Josef Sudek : Fotografie, texte de Lubomír Linhart, poèmes de Vladimír Holan et Jaroslav Seifert, Prague, SNKLHU.

1962. Josef Sudek, texte de Jan Řezáč, Prague, Orbis.

1964. Sudek, texte de Jan Řezáč Prague, Artia.

1976. Josef Sudek, introduction de Petr Tausk, Prague, Pressfoto.

1978. Josef Sudek, textes de Sonja Bullaty et Anna Fárová, New York, Clarkson N. Potter.

1980. Josef Sudek. Profily z Prací mistrů ceskoslovenské fotografie, texte de Petr Tausk, Prague, Panorama.

1982. Josef Sudek : Výběr fotografií z celoživotního díla, texte de Zdeněk Kirschner, Prague, Panorama.

1983. Josef Sudek, texte de Anna Fárová, I grandi fotografi, Milan, Gruppo Editoriale Fabbri.

1990. Josef Sudek, Poet of Prague, texte de Anna Fárová, New York, Aperture.

EXPOSITIONS

Expositions personnelles

1932. Družstevní práce, Prague.

1958. Salle Alès, Prague.

1959. Maison des arts, Brno.

1961. Musée silesien, Opava.

1963. Salle de l'Ecrivain tchécoslovaque, Prague.

1966. Severočeské Muzeum, Liberec.

1971. Moravská galerie, Brno.

1972. Neikrug Gallery, New York.

1973. Light Gallery, New York.

1974. International Museum of Photography, George Eastman House, Rochester.

1976. Musée des Arts décoratifs, Prague.

1976. Moravská galerie, Brno.

1976. Photographer's Gallery, Londres.

1977. International Center of Photography, New York.

1977. Rencontres Internationales de la Photographie, Arles.

1978. Galerie nationale, Prague.

1978. Galerie Canon, Genève.

1981. Galerie du Château d'Eau, Toulouse.

1988. Museum of Modern Art, San Francisco.

1988. Art Institute of Chicago, Chicago.

1988. Musée national d'Art moderne, Centre Georges Pompidou, Paris.

1990. Philadelphia Museum of Art, Philadelphie.

CRÉDITS PHOTOGRAPHIQUES

Collection particulière, Prague

DANS LA MÊME COLLECTION

Cet ouvrage, le quarante-troisième de la collection Photo Poche, dirigée par Robert Delpire, a été réalisé avec la collaboration de Françoise Sadoux, Maurice Lecomte, Sittisack Viraphong et Elvire Perego. Fabrication : Synchro.

Achevé d'imprimer le 28 août 1990 sur les presses de l'Imprimerie Dabermill à Aulnay-sous-Bois.